D0805259

Collection MONSIEUR

Mr. Men   Little Miss

Monsieur ÉTOURDI

Roger Hargreaves

HACHETTE
Jeunesse

C'était une belle matinée d'été
comme on les aime tous.

Le propriétaire de la villa «Pense-Bête»
dormait profondément.

Il s'appelait monsieur Etourdi.

Et il rêvait.

Les rayons du soleil qui passaient par la fenêtre
réveillèrent monsieur Etourdi.

Il bâilla, s'étira
et essaya de se souvenir de son rêve.

Bien sûr, il l'avait oublié.

D'ailleurs il oubliait tout.

Absolument tout !

Monsieur Etourdi se leva
pour aller faire sa toilette.

Mais il avait oublié où se trouvait la salle de bains.

Alors sais-tu ce qu'il fit ?

Il entra dans un placard !

– Que je suis bête ! s'exclama-t-il.

Monsieur Etourdi finit cependant par trouver
la salle de bains et il fit sa toilette.

Il pensa même à se brosser les dents !

Puis il descendit à la cuisine
préparer son petit déjeuner.

Il fit griller du pain. Mais, bien entendu,
il l'oublia et le pain brûla.

Il fit cuire un œuf à la coque.
Mais, bien entendu, il l'oublia et il eut un œuf dur.

Chaque matin, monsieur Etourdi mangeait du pain brûlé
et un œuf dur en guise de petit déjeuner !

Comme il faisait un temps splendide, monsieur Etourdi décida d'aller à pied jusqu'au village.

Il avait besoin d'un timbre pour une lettre qu'il avait écrite trois semaines auparavant et qu'il avait oublié de poster.

Il se mit en route.

A ton avis, songea-t-il à refermer la porte de sa maison derrière lui ?

Bien sûr que non !

– Bonjour, monsieur Etourdi, dit mademoiselle Colis,
la postière du village. Belle journée, n'est-ce pas ?
Que désirez-vous ?

– Je voudrais un... euh...une...euh...
bégaya monsieur Etourdi. Je ne sais plus !

Mademoiselle Colis regarda la lettre
que monsieur Etourdi tenait à la main.

– Un timbre peut-être ? dit-elle.

– Oui, un timbre ! s'écria monsieur Etourdi.
C'était justement ce que j'essayais de me rappeler !

Mademoiselle Colis sourit.
Elle connaissait bien monsieur Etourdi.

Monsieur Etourdi avait d'autres courses à faire.

Réussit-il à se souvenir
de ce qu'il devait acheter ?

Bien sûr que non !

Alors il prit le chemin du retour.

En cours de route il rencontra l'agent de police.

– Bonjour, monsieur Etourdi, dit celui-ci.
S'il vous plaît, pouvez-vous transmettre un message
à monsieur Pâturage, le fermier ?

Monsieur Pâturage était un voisin
de monsieur Etourdi.

– Mais bien sûr, répondit monsieur Etourdi.

– Alors dites-lui que l'un de ses moutons
s'est échappé du pré.

Pauvre monsieur Etourdi !

C'était la première fois
qu'on lui confiait un message.

– Un mouton s'est échappé du pré...
Un mouton s'est échappé du pré... se répétait-il.

Un mouton s'est échappé !

Un mouton s'est échappé !

Monsieur Etourdi, de crainte d'oublier le message,
se le répétait sans cesse.

– Un mouton s'est échappé !

Quand il arriva à la ferme,
il courut vers le fermier.

– Monsieur Pâturage, dit-il,
j'ai un message pour vous.
Votre moineau s'est envolé !

Monsieur Pâturage n'en crut pas ses oreilles.

– Mon moineau s'est envolé ?
répéta très lentement monsieur Pâturage.
Mais je ne possède pas de moineau et,
de toute façon, les moineaux ont bien le droit
de s'envoler !
Vous êtes sûr de ne pas faire d'erreur ?

Pauvre monsieur Etourdi !

Il s'était trompé et il n'arrivait plus
à se rappeler le message !

Alors il s'en alla.

Monsieur Etourdi avait honte d'être aussi étourdi.

– Si seulement j'avais un peu plus de mémoire,
se disait-il.

Absorbé dans ses tristes pensées,
il ne vit pas qu'un mouton lui barrait la route.

Il le heurta et tomba à la renverse.

– Zut ! lança monsieur Etourdi.

– Bêêê ! fit le mouton.

– C'est malin de laisser un mouton s'échapper du pré !
pensa monsieur Etourdi.

Et monsieur Etourdi se souvint du message !

Il bondit de joie
et partit en courant à toutes jambes.

– Monsieur Pâturage ! Monsieur Pâturage ! cria-t-il
en traversant la cour de la ferme.
Votre...votre moineau s'est envolé !

Et voilà, il s'était encore trompé !

Monsieur Pâturage se gratta la tête.

– Venez avec moi ! Venez vite ! ajouta monsieur Etourdi.
Il entraîna monsieur Pâturage sur la route.

– Regardez ! hurla monsieur Etourdi.
Il est là votre moi...

Il s'arrêta net.

– Oh non ! gémit-il. Ce n'est pas un moineau...
C'est un mouton !

Et il rougit.

– A mon avis, c'est vous le moineau !
dit monsieur Pâturage avec un sourire.
Car vous n'avez pas plus de cervelle qu'un moineau !

Monsieur Pâturage se mit à rire.

Monsieur Etourdi aussi.

Et le mouton également.
Dire que monsieur Etourdi l'avait pris
pour un moineau !

De retour à la villa «Pense-Bête»,
monsieur Etourdi s'assit dans son fauteuil préféré
pour repenser à cette drôle de journée.

Mais...

Il eut beau se creuser la cervelle,
il n'y arriva pas.

Il avait tout oublié !

Oh ! monsieur Etourdi...

RÉUNIS VITE LA COLLECTION ENTIÈRE DE **MONSIEUR MADAME**, UNE FRISE-SURPRISE APPARAÎTRA !

Traduction : Évelyne Hiest
Révision : Jeanne Bouniort
Dépôt légal n° 66184 - décembre 2005
22.33.4847.01/4 - ISBN : 2.01.224847.0
Loi n° 49-956 du 16 juillet 1949 sur les publications destinées à la jeunesse.
Imprimé et relié en France par I.M.E.